D0874979

Nous remercions le Conseil des Arts du Canada,
le ministère du Patrimoine canadien et la SODEC
de l'aide accordée à notre programme de publication.

Patrimoine canadien Canadian Heritage

Illustration de la couverture
et illustrations intérieures:
Pierre Massé

Édition électronique:
Infographie DN

Dépôt légal: 4e trimestre 2000
Bibliothèque nationale du Canada
Bibliothèque nationale du Québec

123456789 AGMV 0543210

ISBN 2-89051-757-8
10992

QUI A VOLÉ LES ŒUFS?

DU MÊME AUTEUR

Zigzag le zèbre, Hurtubise HMH, 1995.

Données de catalogage avant publication (Canada)

Delisle, Paul-Claude

Qui a volé les œufs ?

(Collection Sésame ; 27)
Pour enfants de 6 à 8 ans.

ISBN 2-89051-757-8

I. Titre II. Collection.

PS8557.E443Q5 2000 jC843'.54 C00-941433-9
PS9557.E443Q5 2000
PZ23.D44Qu 2000

Paul-Claude Delisle

Qui a volé les œufs?

roman

ÉDITIONS
PIERRE TISSEYRE

5757, rue Cypihot, Saint-Laurent (Québec) H4S 1R3
Téléphone: (514) 334-2690 – Télécopieur: (514) 334-8395
Courriel: ed.tisseyre@erpi.com

1

LES ŒUFS DU MERLE DISPARAISSENT !

L'aube se lève. Les jardins diffusent des senteurs de fleurs à la moindre brise. Robin, le merle, caché dans la haie de cèdres, se réveille. Il émet alors un sifflement qui déchire le silence du matin. Son chant trouve aussitôt écho parmi les autres oiseaux.

Une faim pressante incite Robin à partir en quête de vers de terre. Il va sautillant sur le gazon humide de rosée. La chasse promet ce matin, car la rosée invite les vers à sortir de leur tunnel pour boire. Le merle a le corps droit, les ailes tombantes et l'œil alerte. Un cercle blanc souligne le tour de ses yeux, donnant l'impression qu'il porte des lunettes. Son cou blanc, rayé de noir, son bec jaune et sa poitrine rousse contrastent avec son plumage gris.

Robin s'arrête net. Un gros ver luisant vient d'apparaître dans son champ de vision. Il sautille pour abattre la distance qui le sépare de sa proie. Le ver sent que le sol vibre et prend la fuite. Voyant sa proie lui échapper, Robin charge. Trop tard! Le ver disparaît dans sa galerie. Toutefois, l'oiseau ne se laisse pas décourager : il plonge son bec dans le repaire du lombric. Il l'attrape par la queue et tire de toutes ses forces. Le ver se distend... pour finalement lui éclater en pleine face. Robin tombe par terre. Il se relève aussitôt, récupère le ver et l'avale d'un trait.

Rassasié, le merle va se percher sur la cime d'un sapin et émet des *ti-lût, ti-lulût*. Il quitte ensuite le sapin pour un bouleau. Robin se rend chaque matin et chaque soir de l'été aux mêmes arbres, dans le but de siffler. Son chant affirme son territoire en vue d'écarter les autres merles. Il défend ainsi son nid et son terrain de chasse.

Le nid de Robin est caché dans la haie de cèdres bornant la maison d'Yvan Desrosiers. Fixé à un poteau élevé et surmonté d'un toit, un plateau se trouve près de la haie. Ce poste d'alimentation offre des noix, des graines de tournesol et du maïs aux oiseaux qui fréquentent surtout ce lieu lors de la migration au printemps et en automne. Mais, en été, seuls des geais bleus, des gros-becs errants et des étourneaux visitent la mangeoire. Il y a aussi un petit abreuvoir pendu à la branche d'un sorbier, fournissant les colibris à gorge rubis en eau sucrée.

Robin s'accommode de la présence de tous ces oiseaux : aucun n'aime les vers de terre. Son pire ennemi est le gros chat noir du voisin ; aussi a-t-il bien pris soin d'établir son nid très haut dans la haie.

Après avoir fait le tour de son territoire, Robin regagne le nid. Une mauvaise surprise l'attend : tous ses œufs ont disparu ! Cela lui donne un choc.

Perchée sur une corde à linge, Adèle, l'hirondelle noire, entend les cris de douleur du merle. Elle accourt à tire-d'aile vers la haie.

— Que se passe-t-il, Robin ? s'enquiert-elle d'une voix douce.

— On a volé mes œufs.

— Oh ! zut alors ! Reste calme. Je vais chercher du secours.

Adèle s'envole. L'hirondelle fouette l'air de battements d'ailes rapides, puis plane de manière gracieuse. Elle revient au nid de Robin, en compagnie de son ami Grognon, le gros-bec. Une queue noire ressort du plumage brun et jaune du gros-bec. Il arbore des sourcils et un front jaunes. Des taches blanches couvrent ses ailes noires.

— Que se passe-t-il, Robin ? demande Grognon.

— Je suis allé à la chasse ce matin, et j'ai trouvé mon nid vide au retour.

— Oh! quel malheur! Je suis navré d'apprendre cela. As-tu cherché tes œufs?

— Il est trop tard, Grognon. Le voleur les a sans doute mangés à l'heure qu'il est.

— Bon! Comme il n'y a rien que je puisse faire, je retourne à mon nid.

Adèle l'arrête.

— Écoute, Grognon! Pourquoi n'ouvrirais-tu pas une enquête?

Robin applaudit à cette idée géniale.

— Pourquoi faire? rétorque le gros-bec.

— Pour découvrir le coupable et le punir. Autrement, il risque de voler les œufs des autres oiseaux.

— Mais pourquoi moi ? grogne-t-il.

— Parce que tu es le plus fort et que tout le monde te respecte. Robin ne jouit pas du même prestige que toi. Et il a trop de chagrin pour mener à bien cette enquête.

Adèle dit vrai. Grognon peut, d'un seul coup, couper le cou d'un oiseau avec son gros bec trapu ; aussi s'attire-t-il le respect de tous.

— Pourquoi est-ce toujours à moi que reviennent les corvées ? rouspète-t-il.

Adèle et Robin le supplient d'enquêter. Même si Grognon se plaint sans cesse, il finit toujours par accepter. C'est qu'il est sans caractère.

— Bon, bon ! je conduirai l'enquête, déclare-t-il à la grande satisfaction des deux oiseaux.

2

L'ENQUÊTE POLICIÈRE DE GROGNON

Grognon commence l'enquête.

— Combien d'œufs avais-tu, Robin?

— Quatre.

— Quelle était leur couleur?

— Bleus.

— Y avait-il des taches sur les œufs?

— Non.

— As-tu déjà remarqué des rôdeurs autour du nid?

— Non.

— Y a-t-il des animaux qui étaient au courant de la présence de ton nid dans la haie?

— Tous les oiseaux qui visitent la mangeoire.

— As-tu une petite idée de qui aurait pu vouloir voler tes œufs?

— Aucune.

Grognon fouille le sol sous le nid de Robin, mais nulle trace d'œufs. Ainsi, le début de l'enquête n'apporte aucun indice à Grognon. Les quatre œufs bleus semblent avoir disparu comme par magie.

Soudain, un superbe oiseau bruyant se pose sur la mangeoire, en poussant un *djé-djé* sonore. Ce dernier s'empiffre de graines de maïs qu'il avale tout rond. Il porte

une huppe bleue et un collier noir. Du noir et du blanc rayent sa queue et ses ailes bleues. Il a le dessous du corps d'un gris très pâle.

— Hé! Jason! l'interpelle Grognon. Viens donc par ici.

Jason, le geai, rejoint le groupe dans la haie. Grognon l'interroge:

— Où étais-tu ce matin ?

— Je chantais. Pourquoi une telle question ?

— Les œufs de Robin ont disparu ce matin.

Jason élève la voix :

— Quoi !? Ce n'est pas vrai ?

— Si. Alors, j'enquête.

Une idée généreuse s'impose soudain à l'esprit du geai.

— As-tu besoin d'aide ? Je pourrais t'assister dans ton enquête.

L'offre de Jason plaît à Grognon. La tâche sera moins désagréable à deux. Et puis la nature agressive et curieuse du geai le désigne bien pour ce rôle. Grognon accepte.

— Par quoi on commence, Grognon ? demande Jason.

— Je ne sais pas. As-tu une idée ?

— Pourquoi ne pas rendre visite à Alonzo, l'étourneau.

— Pourquoi donc ?

— Parce que c'est un voleur, intervient Adèle. Alonzo préfère disputer un nid aux autres plutôt que d'en construire un. Ce printemps, il a chassé un couple d'hirondelles de la corniche. Et la rumeur court qu'il cherche un autre nid déjà construit parce qu'il serait logé trop à l'étroit.

— On y va, Grognon ? suggère Jason.

— Allons-y ! Alonzo, nous voici !

3

ALONZO, L'ÉTOURNEAU, LE MOUTON NOIR DES OISEAUX

Les oiseaux se rendent devant la maison d'Yvan Desrosiers. Ils se perchent sur le fil électrique, près du nid installé sous une corniche du toit de la maison. L'étourneau lance un cri d'alarme en les apercevant. Ses cinq petits se taisent et se replient tout au fond.

Alonzo vient à leur rencontre. Le corps noir de l'étourneau tire sur le bleu, le violet et le vert. Il a un bec jaune et une courte queue.

— Que me voulez-vous ?

— Nous enquêtons sur la disparition des œufs de Robin, le merle, explique Grognon.

— Pourquoi venez-vous ici ?

— Parce que tu voles le nid des autres, paraît-il.

— C'est... faux. Mais si c'était vrai, quel lien existe-t-il entre voler un nid et voler des œufs ?

— Euh !... euh !...

Jason montre alors ses talents d'assistant.

— Le lien ? Eh bien, Alonzo, c'est peut-être une ruse de ta part. En volant les œufs de Robin, tu espé-

rais sans doute qu'il abandonnerait son nid. Ainsi, tu pensais l'occuper sans le lui disputer.

— Mais je ne suis coupable de rien, se défend le pauvre Alonzo.

— Si tu n'as rien à te reprocher, nous permettrais-tu, en ce cas, de visiter ton nid ? demande Grognon.

— À votre aise !

Mais Grognon, Jason et Robin sont trop gros pour se faufiler dans l'entrée, aussi regagnent-ils le fil électrique. Seule Adèle peut passer.

Elle se glisse dans le nid. Les oisillons poussent des cris de frayeur en la voyant. Ils s'entassent pêle-mêle dans le fond.

Des brindilles, de la paille, des tiges de plantes, du foin et de l'herbe composent le nid de l'étourneau. Des plumes noires tapissent l'intérieur.

Entre-temps, Grognon questionne Alonzo :

— De quoi vous nourrissez-vous ?

— D'un peu de tout.

— Comme des œufs, par exemple ? s'enquiert Jason.

— Non. Nous mangeons surtout des fruits, des insectes et du maïs.

Adèle, l'hirondelle, revient de sa visite d'inspection.

— As-tu découvert quelque chose, Adèle ?

— Non, Grognon.

Le gros-bec inspecte le sol. Sous le nichoir d'Alonzo, il repère des coquilles vides bleu pâle. Une lueur de triomphe éclaire les yeux de Grognon.

— Viens donc par ici, Robin.

Le merle rejoint le gros-bec.

— Est-ce la couleur de tes œufs, Robin ?

— Non. Les miens sont plus foncés.

— Ça, c'est sûr, s'indigne Alonzo. Ce sont les coquilles dans lesquelles se trouvaient mes petits avant de naître. Comme elles encombraient mon nid, je les ai jetées dehors. Alors, êtes-vous satisfaits ?

— Ouais, grogne Grognon.

Une fois revenus à la mangeoire, les oiseaux caquettent fort. D'après Jason, Alonzo est coupable. Quant aux autres, ils hésitent : ils n'ont aucune preuve évidente pour accuser l'étourneau.

— J'en ai terminé avec cette enquête, annonce Grognon à la surprise générale de tout le monde.

— Mais tu n'as pas encore trouvé le voleur, proteste Adèle.

— Justement, on ne le trouvera pas ! On manque d'indices.

— Allons, Grognon, ce n'est pas le moment de lâcher. Tu viens à peine de commencer l'enquête. Il y a encore bien des choses à découvrir.

— Bon, bon ! grogne Grognon. Je vais poursuivre les recherches.

Le bruit d'un gros bourdon emplit soudain l'air. C'est Colombine, le colibri. Ses ailes battent si vite et elle est si petite qu'elle pourrait facilement passer inaperçue. C'est pourquoi on l'appelle aussi l'oiseau-mouche. Toutefois, le bruit de ses

ailes révèle toujours sa présence. De plus, son vol tient du prodige. Elle peut s'immobiliser dans l'air comme un hélicoptère ou même voler à reculons.

Colombine vole sur place devant l'abreuvoir. Elle y enfonce son long bec en aiguille et aspire l'eau sucrée. Coquette, elle a le dessus vert lustré de son plumage qui tranche sur le dessous blanc. Sa queue est fourchue.

— Hé ! Colombine ! As-tu une minute ? Nous avons à te parler.

— Bien sûr, Grognon ! Qu'y a-t-il ?

— Nous recherchons le voleur des œufs de Robin.

— Hein ? Quand le vol s'est-il produit ?

— Pas plus tard que ce matin.

— Mais j'étais ici ce matin.

— Ah oui ? As-tu remarqué quelque chose de louche ?

— J'ai vu deux oiseaux peu ordinaires, inconnus dans le quartier. Ils portaient tous deux un masque noir.

— Un masque ? Comme ceux qu'on enfile lors des attaques à main armée ?

— C'est en plein ça.

— Ça y est! Nous tenons les coupables, déclare tout de go Jason.

— Peux-tu nous donner une description de ces oiseaux? demande Grognon.

— L'un est tout jaune et l'autre, brun. Ce dernier a une huppe, comme Jason, et le bout de sa queue est jaune.

— Quelle direction ont-ils prise?

Colombine pointe son aile vers le nord de la maison d'Yvan Desrosiers.

— Vous autres, ordonne Grognon à Adèle et à Colombine, restez ici au cas où vous tomberiez sur d'autres témoins. Peut-être obtiendrez-vous des renseignements utiles. Jason et moi, nous nous mettons à la recherche des suspects.

Grognon et Jason engouffrent quelques graines de tournesol, puis s'envolent.

4

UN PIC PAS PIQUÉ DES VERS

Le gros-bec et le geai survolent le quartier plusieurs fois, mais n'aperçoivent aucun des deux oiseaux masqués. Un tambourinage terrible attire soudain leur attention : un gros oiseau cogne du bec contre une tôle clouée à un poteau de téléphone. Grognon et Jason se posent sur le fil et l'observent.

L'inconnu frappe à présent le poteau de son long bec conique. Des insectes apeurés sortent des fentes et tentent de s'enfuir. Mais l'oiseau les capture avec sa longue langue enduite de salive gluante.

Il porte une calotte grise avec une tache rouge en travers de la nuque et une bavette noire en forme de croissant. Il arbore une moustache noire.

— Hé ! Grognon ! L'oiseau est brun et le dessous de sa queue est jaune. C'est un des nos deux coupables, affirme Jason.

— Mais il n'a pas de huppe ni de masque.

— C'est simple, Grognon. Il a dû ôter son costume de bandit.

— Que je suis bête ! J'aurais dû y penser moi-même.

Le gros-bec aborde alors l'oiseau, l'air sévère :

— Qui es-tu?

— Je suis Picpoul, le pic. Et vous autres?

— Voici Jason, le geai, et moi-même, Grognon, le gros-bec. Où habites-tu?

— Dans ce poteau de téléphone. Vous voyez, j'y ai creusé mon nid.

Une tête ébouriffée sort de la cavité.

— C'est ton petit? demande Grognon.

— Oui. J'en ai sept cette année, ajoute Picpoul avec fierté.

— Une telle famille doit demander beaucoup de nourriture. Et puis un gros oiseau comme toi doit avoir souvent faim, non?

— Oui. Vous avez des fourmis à m'offrir?

— Non.

— Des insectes perceurs? Des mille-pattes? Des scarabées?

— Non.

— Peut-être des fruits ou des noix?

Grognon lui tend un piège.

— Non. Nous avons juste des œufs.

— Des œufs! Non, merci. Je ne mange pas de ça, c'est dégoûtant!

La réponse balaie les doutes du gros-bec sur la culpabilité possible du pic. Et puis Picpoul ne concorde pas avec la description faite par Colombine de l'oiseau brun: du jaune couvre le dessous de ses ailes.

— Au fait, pourquoi me poses-tu toutes ces questions, Grognon?

— Nous recherchons deux oiseaux masqués. L'un d'eux porte une huppe comme Jason.

Picpoul regarde avec un œil d'envie la huppe de Jason. «Ma coiffeuse devra m'arranger les plumes comme ça, la prochaine fois. C'est un style très original », se dit-il.

— Je ne les connais pas, réfléchit Picpoul, mais je peux sans doute vous aider.

— Ah oui ? Et comment ?

— Grâce à la télégraphie.

— La quoi ?

— La télégraphie, mes amis. Je peux, sans me déplacer, prendre contact avec les pics du coin. Écoutez bien !

Avec son bec, Picpoul tape des signaux en morse, tambourinant contre la tôle : . – – . / . – – – / – . – . / – . . . / – – – / . . – / . – . .

Le tambourinage se poursuit encore un bon moment. Puis le silence retombe. Grognon et Jason se regardent d'un air perplexe.

— As-tu compris quelque chose, Jason ?

— Il a fait quelque chose comme :
. – – . / . – – – / . – . –

— Oui, oui, je sais, mais as-tu compris les signaux qu'il a envoyés ?

— À vrai dire, non, Grognon.

— Moi non plus.

Picpoul les informe :

— J'ai demandé aux pics s'ils connaissaient les oiseaux dont vous m'avez parlé. Une réponse ne devrait pas tarder à arriver.

— Je le trouve bizarre, chuchote Jason à l'oreille du gros-bec. Et s'il avait prévenu son complice ?

Entre-temps, Grognon explore le sol autour du poteau de téléphone. Il trouve uniquement des coquilles blanches.

— C'étaient les coquilles de ta nichée ? demande Grognon.

— Oui.

Le gros-bec a maintenant la ferme conviction de l'innocence du pic.

Picpoul et Jason rejoignent Grognon au sol. Le gros-bec gobe deux petits cailloux. Le geste inattendu de Grognon surprend le pic.

— Tu manges des cailloux, Grognon ? C'est pourtant indigeste.

— C'est à cause de mes problèmes de digestion. Cela m'aide à broyer les graines de tournesol que j'ai avalées tout à l'heure.

Un tambourinage lointain traverse le village. Picpoul tend l'oreille, puis traduit le message :

— Les oiseaux que vous recherchez vivent dans le marais.

— Ce moyen de communication est vraiment génial, Picpoul. Tu nous as rendu un fier service. Merci !

5

DES OISEAUX MASQUÉS

Grognon et Jason se rendent au marais. Il y fait humide. Une étendue d'eau stagnante abrite des quenouilles, des roseaux, des nénuphars et des milliers d'insectes.

Tout à coup, un gros oiseau brun masqué s'abat sur une libellule. Il la happe en plein vol dans un claquement de bec. Un petit oiseau jaune masqué imite aussitôt les gestes de l'autre.

— Les voici, Grognon.

— Mais ils ont encore leur costume de bandit !

— C'est simple, Grognon. Ils ont dû oublier de l'enlever.

— Que je suis bête ! J'aurais dû y penser moi-même. Ce qu'ils sont stupides, ces deux-là !

— On leur saute dessus ?

— Ouais. Allons-y !

Grognon et Jason foncent sur les deux oiseaux et les renversent. Le gros-bec essaie d'enlever le masque de l'oiseau jaune. Quant à l'oiseau brun, il résiste aux attaques du geai.

— Arrête ! Tu me fais mal, braille l'oiseau jaune.

— Mais ton masque te colle aux plumes ! dit Grognon surpris.

— Qu'imaginais-tu, espèce d'idiot ?

Grognon fait signe à Jason de mettre un terme au combat.

— Excusez-nous.

— En voilà des manières! peste l'oiseau brun.

— On vous prenait pour des bandits. Vous savez, avec vos masques...

— Ce n'est pas parce que nous portons un masque que nous sommes forcément des bandits : nous sommes nés masqués. Vous êtes vraiment de drôles de pistolets, tous les deux.

— Nous nous sommes trompés. Veuillez accepter nos excuses.

— C'est bon ! Qui êtes-vous pour nous attaquer ainsi ?

— Je suis Grognon, le gros-bec, inspecteur. Voici mon assistant, Jason, le geai. Nous menons une enquête. Et vous, qui êtes-vous ?

— Je suis Viateur, le jaseur des cèdres. Elle, c'est mon amie Yvette, la paruline masquée. Quel genre d'enquête menez-vous ?

— Nous recherchons ceux qui ont volé les œufs de Robin, le merle. D'après nos informations, on vous aurait vus ce matin à la mangeoire. Que fabriquiez-vous là ?

— Je vérifiais si les fruits du sorbier étaient mûrs, répond Viateur. Yvette m'a accompagné, mais elle ne se nourrit que d'insectes.

— Et toi ?

— De fruits, d'insectes et de bourgeons.

— Pouvons-nous inspecter vos nids ?

— Pas de problème. Nous n'avons rien à cacher.

Grognon et Jason visitent d'abord le nid de Viateur qu'il a construit sur la branche d'un bouleau. Des brindilles, des plantes, des racines, du lichen, de l'écorce, du papier, du chiffon et une ficelle forment son gros nid. « Peuh ! C'est un vrai dépotoir, ici ! » se dit Grognon. Les quatre œufs bleu verdâtre de Viateur sont piqués de taches noires. Point de trace de coquilles bleues.

La petite bande d'oiseaux se déplace ensuite. Le nid d'Yvette est caché à même le sol, sous un buisson nain. Il se compose de plantes, d'herbe et de feuilles. Des poils d'animaux et de l'herbe en garnissent l'intérieur. Les trois œufs blancs d'Yvette sont criblés de petits points bruns. Là non plus, aucune trace de coquilles bleues.

L'inspecteur et son assistant s'en retournent bredouilles à la mangeoire.

— Avez-vous trouvé les oiseaux masqués ? s'informe Adèle.

— Oui, mais nous les croyons innocents, déclare Grognon. Et vous, avez-vous fait d'autres rencontres pendant ce temps ?

— Non... Mais j'y pense, Grognon ! Nous avons oublié le chat du voisin.

— Oui, bien sûr ! Comment se peut-il que nous n'ayons pas pensé à Frisson, le chat ? dit Jason.

— Mais prenez garde ! Ce chat est très dangereux. J'ai appris qu'il suit des cours par correspondance sur l'hypnotisme, précise Adèle.

— Je n'ai jamais entendu parler de cela, avoue Grognon.

— Moi non plus, ajoute Jason.

— En gros, voici comment l'hypnotisme fonctionne, explique Adèle.

Le regard de Frisson s'accroche à celui d'un animal qu'il veut manger. Il le fixe sans bouger. Puis le chat roule des yeux. Sa victime commence alors à voir trouble. Et il tombe ensuite dans les pommes.

— Hein ?

— Aussi faut-il éviter son regard à tout prix, sinon vous êtes cuits.

Les oiseaux sont tout oreilles. Adèle continue à donner des précisions :

— Depuis que Frisson suit ses cours, il s'exerce sur le poisson rouge de l'aquarium. Et le poisson se fait attraper à tous coups : il coule à pic.

— Ce chat savant est un danger public, résume Grognon.

Peut-être ! Mais les oiseaux ne savent pas que le chat joue parfois de malchance. Sa dernière mésaventure remonte à l'hiver passé quand son maître a acheté un coucou. Après avoir consacré la journée à observer l'oiseau, le chat éprouva soudain le désir de le capturer. Mais, à sa grande surprise, l'oiseau avait disparu le lendemain. Sur la palette vide du pendule se trouvait le message suivant : « Il fait trop froid ici. Je suis parti en Floride. Je reviendrai au printemps prochain. » L'oiseau n'est cependant jamais revenu...

— Qu'est-ce qu'on fait, Grognon ?

— Je ne sais pas. Cela semble dangereux de lui rendre visite.

— Je n'ai pas peur, moi. Je vais aller le voir, fanfaronne Jason.

L'audace de Jason laisse les oiseaux perplexes. Tous savent que les geais sont de grands peureux !

— Bon ! Dans ce cas, je vais t'accompagner, grogne Grognon.

— Euh! il y a un problème, se dégonfle tout à coup Jason.

— Lequel?

— Comment communiquer avec lui? Il parle en chat.

— Écoute, Jason! On n'a pas besoin de lui parler. On visite juste les lieux à la recherche d'indices.

— Et si on ne trouve rien?

— Dans ce cas-là, on ajustera notre tir.

6

APRÈS LES ŒUFS, UN OISEAU DISPARAÎT

Les oiseaux se perchent sur les arbres. Aucun signe du chat à l'horizon. Grognon et Jason s'envolent alors dans la cour du voisin.

Cependant, Frisson est là, couché sur le tapis noir du patio. Comme il est noir, il aime s'y écraser afin de passer inaperçu. Il a appris ce truc lors de ses cours par correspondance. Et la ruse semble marcher. Tranquilles, Grognon et Jason fouillent la cour en quête d'indices.

De ses yeux mi-clos, le matou observe les deux oiseaux audacieux. Il se lèche les babines à la pensée d'un lunch facile.

Jason remarque le bol d'eau du chat sur le patio. Et comme il meurt de soif, il se dirige vers le bol. En le voyant s'approcher de lui, Frisson frétille d'impatience. Cette agitation accroche aussitôt l'attention du geai. Frisson ouvre alors grands ses yeux, et ses deux prunelles jaunes se mettent à briller. Dans un brouillard de peur, Jason distingue la silhouette du chat, mais il est trop tard pour détourner les yeux. Le regard du chat transperce déjà celui du geai. Ses yeux roulent. Jason est figé. Il sent peu

à peu sa volonté le quitter. Et il tombe.

Frisson bondit sur sa proie. Ses dents s'enfoncent dans les plumes de l'oiseau. Et Jason meurt sur-le-champ.

La mort brutale du geai sème l'émoi ; les oiseaux s'envolent en poussant des cris aigus. Ils se regroupent autour de Grognon, dans la cour d'Yvan Desrosiers. Ils ont la colère au bec. L'hirondelle élève les ailes pour imposer le silence.

— Il ne fait aucun doute que Frisson a volé les œufs de Robin. Voulez-vous le punir du vol des œufs et de la mort de Jason ?

— Oui, sifflent en chœur les oiseaux.

— Dans ce cas, j'ai un plan à vous proposer. Ce soir, nous allons creuser un trou dans le potager d'Yvan Desrosiers et y déposer une crotte du chat.

Les oiseaux approuvent le plan d'Adèle.

7

LE PLAN PORTE FRUIT

Yvan Desrosiers est très fier de son potager. Aussi, le lendemain, lorsqu'il découvre le trou et la crotte, il tremble de colère. Il soupçonne tout de suite le chat de son voisin.

« Encore la visite de ce maudit matou ! J'en ai plein le dos de lui », rage le jardinier. Les chats s'en prennent toujours à son potager.

Mais aujourd'hui, il en a assez. Il va donner à ce Frisson une bonne leçon dont il se souviendra longtemps.

Yvan Desrosiers descend à la cave pour prendre son lance-pierre. Il remonte ensuite au jardin. Puis il se cache dans le cabanon où il range ses outils et monte la garde.

De l'autre côté de la haie, Frisson est couché sur la radio qui dégage une forte chaleur. La station diffuse du rock. Comme cette musique lui tape sur les nerfs, il change de station. On y joue à présent *La danse des canards,* une de ses chansons favorites. Le chat se prend à rêver de canards cuits à la broche, puis s'endort.

De la haie, les oiseaux observent la scène. L'affaire leur semble bien engagée, mais il y a une ombre au tableau. D'un côté, Frisson dort;

de l'autre, Yvan Desrosiers l'attend. Que faire ? Les oiseaux se consultent.

— Il faut attirer Frisson de ce côté-ci, dit Robin.

— Mais comment ? demande Colombine.

— Je peux faire semblant d'être blessé à l'aile et l'inciter ainsi à passer chez le voisin.

— C'est trop dangereux, Robin. Veux-tu finir dans son estomac comme Jason ? lui rappelle Grognon.

— J'ai une idée, déclare Adèle. Robin, peux-tu trouver un oisillon mort ?

— Sans doute.

— Et toi, Grognon, une ficelle ?

— Oui. Que mijotes-tu, Adèle ?

— Vous verrez. Trouvez-moi d'abord un oisillon mort et une ficelle.

Robin se met en quête d'un oisillon mort. Cela devrait lui être facile : plusieurs oisillons meurent au moment de leur naissance ou peu après. Quant à Grognon, il rend visite à Viateur, le jaseur. Il lui emprunte la ficelle qu'il a aperçue un peu plus tôt dans son nid.

Grognon et Robin reviennent à la mangeoire, avec la ficelle et l'oisillon mort. Adèle explique son projet aux autres. Les oiseaux ont compris.

Robin attache le petit oiseau mort à la ficelle. Grognon se glisse sous la haie, avec le leurre. Il le dispose près du patio où Frisson dort. Entre-temps, Adèle se perche sur la corde à linge. De là-haut, elle surveille le chat.

Adèle ordonne à Robin de tirer sur la ficelle. Le chat n'a cependant aucune réaction: il dort profondément.

— Il faut réveiller ce paresseux, crie Adèle.

— Je m'en occupe, se propose Colombine.

Le colibri s'envole. Elle tourne autour du chat. Mais celui-ci ne réagit pas. Elle décide alors de voler sur place, juste au-dessus de ses oreilles. Le bourdonnement finit enfin par agacer le chat. « Maudite mouche! » grommelle Frisson. Les yeux fermés, il donne quelques coups de patte dans le vide. L'oiseau évite les coups de griffe. Le sommeil regagne Frisson.

Colombine en a assez de ce gros matou paresseux. Elle recule, prend son élan, et fonce sur lui. Son long bec s'enfonce dans la cuisse du chat. Frisson bondit de surprise et tombe de la radio. « Ayoye! Les mouches piquent comme jamais, cette année », observe-t-il.

En plein vol, Colombine manie son bec comme une épée. Elle frappe de tous côtés le minet encore endormi. « Mais cette bestiole est folle, pense Frisson. Elle m'en veut. »

Les attaques continues du colibri réveillent complètement le chat. Et il contre-attaque. Mais Colombine s'élève à la verticale, très haut dans le ciel, hors de portée.

— Tire sur la ficelle, Robin, ordonne Adèle.

Frisson voit alors une drôle de bestiole bouger. Il part aussitôt à sa poursuite.

— Plus vite, Robin, crie Adèle. Le chat vient de mordre à l'hameçon.

Robin s'envole avec la ficelle. Le leurre glisse sous la haie. Frisson le

poursuit et émerge dans le jardin du voisin. « C'était donc lui », constate Yvan Desrosiers. Il arme son lance-pierre et le vise soigneusement.

Le coup porte. Frisson reçoit la pierre en plein sur la cuisse. Un miaulement perçant déchire l'air. Surpris, le chat s'enfuit en boitant pour se réfugier sous le patio de sa maison.

Les oiseaux se félicitent. Ils célèbrent leur victoire.

8

UN REBONDISSEMENT IMPRÉVU

L'enquête est maintenant close. Les oiseaux retournent à leur nid. De son côté, Adèle décide de témoigner sa sympathie à la famille du geai.

Le nid de Jason est installé sur une épinette, dans la forêt. Il n'y a cependant aucun geai à l'horizon.

Adèle aperçoit des coquilles brisées dans le gros nid que les petits du geai ont déjà quitté. La plupart des coquilles sont jaune verdâtre avec des taches brunes, mais certaines sont bleues. Un doute ébranle soudain l'hirondelle. « Comment cela se peut-il ? » s'interroge-t-elle.

Curieuse, l'hirondelle rassemble les morceaux de coquilles. Le recollage lui donne quatre œufs bleus et six œufs jaunes. La preuve est faite !

Adèle convoque les oiseaux devant la mangeoire.

— J'ai une grande nouvelle à vous apprendre. J'ai retrouvé les œufs de Robin...

— Hein ?

— ... mais ils sont vides.

— Où les as-tu trouvés ?

— Dans le nid de Jason.

— Le nid de Jason !

— Oui. Imaginez ma surprise. Je me suis demandé quel mobile avait poussé Jason à voler les œufs de Robin, aussi ai-je fait une petite enquête.

— Et alors ?

— Le geai se nourrit, paraît-il, d'œufs et de poussins, en plus de fruits, d'insectes, de graines et de restes de table comme du spaghetti. C'est donc Jason qui a volé les œufs de Robin.

— Ça alors ! C'est incroyable, affirme Robin.

— Voilà donc la raison pour laquelle il s'empressait d'accuser les autres, note Grognon.

— En tout cas, les amis ne sont pas nécessairement ceux que l'on croit, conclut Adèle.

Depuis sa mésaventure dans la cour d'Yvan Desrosiers, Frisson n'y va plus. Il s'est vu contraint à marcher sur trois pattes pendant deux longs mois. Résultat, il a perdu la faveur des chattes du quartier. Et, de plus, il s'est fait narguer par des souris. Non, cela ne lui a pas été chose facile. Quant aux oiseaux, ils vivent désormais en paix dans le jardin.

TABLE DES MATIÈRES

Paul-Claude Delisle

Paul-Claude Delisle est né à Alma, au Québec. Il est géologue de métier et biologiste de formation. Son travail l'entraîne dans des aventures incroyables en Amérique du Nord ou en Afrique. Il en profite pour observer la nature qui l'entoure. Les formes de vie végétales et animales le fascinent sans cesse.

Depuis 1989, il s'est découvert une passion pour l'écriture. Elle lui permet d'exprimer ses préoccupations et d'explorer son imaginaire. Il écrit autant pour les enfants que pour les adultes. *Qui a volé les œufs ?* est son deuxième livre publié pour les enfants.

Collection Sésame

1. **L'idée de Saugrenue**
   Carmen Marois
2. **La chasse aux bigorneaux**
   Philippe Tisseyre
3. **Mes parents sont des monstres**
   Susanne Julien
   (palmarès de la Livromagie 1998/1999)
4. **Le cœur en compote**
   Gaétan Chagnon
5. **Les trois petits sagouins**
   Angèle Delaunois
6. **Le Pays des noms à coucher dehors**
   Francine Allard
7. **Grand-père est un ogre**
   Susanne Julien
8. **Voulez-vous m'épouser, mademoiselle Lemay ?**
   Yanik Comeau
9. **Dans les filets de Cupidon**
   Marie-Andrée Boucher Mativat
10. **Le grand sauvetage**
    Claire Daignault
11. **La bulle baladeuse**
    Henriette Major
12. **Kaskabulles de Noël**
    Louise-Michelle Sauriol

13. **Opération Papillon**
Jean-Pierre Guillet
14. **Le sourire de La Joconde**
Marie-Andrée Boucher Mativat
15. **Une Charlotte en papillote**
Hélène Grégoire
(prix Cécile Gagnon 1999)
16. **Junior Poucet**
Angèle Delaunois
17. **Où sont mes parents?**
Alain M. Bergeron
18. **Pince-Nez, le crabe en conserve**
François Barcelo
19. **Adieu, mamie!**
Raymonde Lamothe
20. **Grand-mère est une sorcière**
Susanne Julien
21. **Un cadeau empoisonné**
Marie-Andrée Boucher Mativat
22. **Le monstre du lac Champlain**
Jean-Pierre Guillet
23. **Tibère et Trouscaillon**
Laurent Chabin
24. **Une araignée au plafond**
Louise-Michelle Sauriol
25. **Coco**
Alain M. Bergeron
26. **Rocket Junior**
Pierre Roy
27. **Qui a volé les œufs?**
Paul-Claude Delisle